cromignon

C'est la préhistoire.
Il fait très froid
depuis longtemps.
Rien ne pousse plus
sous la neige.
Les Cro-Magnons
n'ont que le gibier
pour survivre.
Il faut déménager souvent
pour en trouver.

ISBN 978-2-211-06183-4
Première édition dans la collection « lutin poche » : juin 2001
© 1999, l'école des loisirs, Paris
Loi numéro 49 956 du 16 juillet 1949 sur les publications
destinées à la jeunesse : octobre 1999
Dépôt légal : juillet 2022
Imprimé en France par Clerc SAS à Saint-Amand-Montrond

cromignon

les lutins de l'école des loisirs
11, rue de Sèvres, Paris 6e

Ce matin, Cromignon voudrait attraper du gibier
avec les chasseurs, lui aussi a très faim.
Il ne doit pas partir. Il est trop petit pour chasser.

Sa maman le retient à la grotte.
Il pourrait se faire manger par un lion, comme son papa.
Parfois, c'est le gibier qui vous attrape.

En attendant le retour des chasseurs,
les mamans cassent des os pour sucer la moelle.
Cromignon n'aime pas la moelle.

Au lieu d'aspirer, il souffle dans l'os.
Il s'aperçoit qu'il a fait une trace sur la roche.

Cromignon recommence en s'appliquant.

Il laisse son empreinte sur tous les rochers
qui ressemblent à du gibier.

Cromignon est un grand chasseur.
Il a déjà attrapé 3 sangliers, 5 bisons et 2 ours.

Maintenant Cromignon veut chasser le gros gibier là-bas.

Mais il bouge ! C'est un vrai.

Il avance droit sur Cromignon, comme une montagne…

C'est un mammouth.
Cromignon n'en a jamais vu. Il a très peur.
Mais c'est l'arbre d'à côté qui intéresse le mammouth.
Il l'arrache aussi facilement qu'un radis.

Cromignon s'est caché sous un rocher.
Il entend le mammouth broyer le cœur de l'arbre.

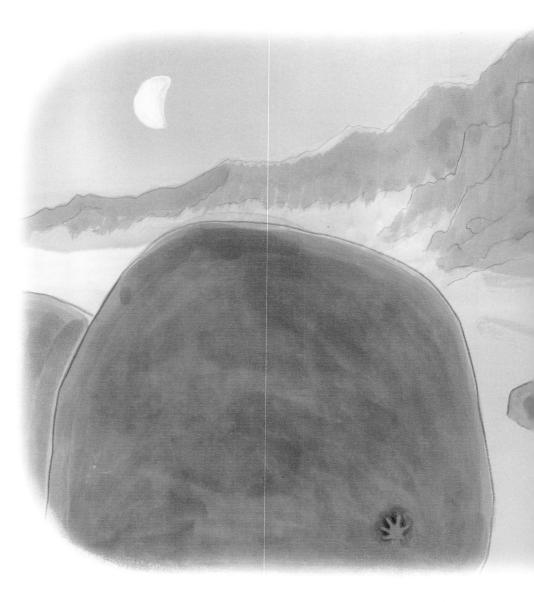

Le mammouth a pris son temps pour se régaler.
Il fait nuit quand Cromignon sort de sa cachette.

Ses empreintes sur les rochers l'aident
à retrouver le chemin de la grotte.

La maman de Cromignon était très inquiète.
« Là-bas, gros gibier ! » dit Cromignon. « Beaucoup à manger ! »

Il danse en imitant le mammouth.
Les Cro-Magnons pensent qu'il fait l'oiseau.

Alors Cromignon dessine sur la roche avec
un charbon de bois.
Les chasseurs sont rentrés bredouilles.

Ils regardent sérieusement le dessin de Cromignon.
« Gros gibier ! » répète Cromignon. « Très gros gibier ! »

Certains chasseurs ont entendu parler de l'énorme bête.
Tous veulent savoir où elle se trouve.

Cromignon suit ses traces sur les rochers.
Les chasseurs suivent Cromignon.

Quand ils arrivent à la dernière trace de Cromignon,
les chasseurs découvrent celles du mammouth.

« Attendez-moi ! Attendez-moi ! » crie Cromignon.

Mais les chasseurs n'attendent pas.

Ils courent tuer le gibier.

Le mammouth est mort.
Maintenant Cromignon aussi peut l'attraper.

Il est si gros que les chasseurs pourront tous en rapporter
à la grotte. Les mamans seront contentes.

Il n'y a pas que de la nourriture dans le gibier.

Il y a aussi des os et de la fourrure.

Tout sert. Il ne faut rien laisser.

Les Cro-Magnons ont repris des forces.
Avec les os du mammouth, les chasseurs ont sculpté des outils.
Avec la fourrure, les mamans ont taillé des couvertures.

Et avec la queue, Cromignon s'est fait un pinceau.

Maman est fière de son grand chasseur.